Ce livre appartient à

Barbe-Bleue

D'APRÈS

Ch. Perrault

ILLUSTRATIONS

Geneviève Marot

Mango

© 1995 Éditions Mango
Dépôt légal : janvier 1995
ISBN : 2 7404 0460-3
Impression Publiphotoffset - 93500 Pantin

Barbe-Bleue

Il était une fois un homme qui avait
de belles maisons à la ville et à la campagne, de
la vaisselle d'or et d'argent, des meubles
en broderie et des carrosses tout dorés.
Mais, par malheur, cet homme avait la barbe
bleue : cela le rendait si laid et si terrible
qu'il n'était ni femme ni fille qui ne s'enfuît
de devant lui.

Une de ses voisines, dame de qualité,
avait deux filles parfaitement belles.
Il lui en demanda une en mariage et lui laissa
le choix de celle qu'elle voudrait lui donner.
Elles n'en voulaient point toutes deux
et se le renvoyaient l'une à l'autre, ne pouvant
se résoudre à prendre un homme qui eût
la barbe bleue.

Ce qui les dégoûtait en-core, c'est qu'il avait déjà épousé plusieurs femmes, et que l'on ne savait ce que ces femmes étaient devenues. Barbe-Bleue, pour faire connaissance, les mena, avec leur mère et trois ou quatre de leurs meilleures amies, et quelques jeunes gens du voisinage, à une de ses maisons de campa-gne, où l'on demeura huit jours entiers.

Ce n'étaient que promenades, que parties
de chasse et de pêche, que danses et festins,
que collations : on ne dormait point et
on passait toute la nuit à se faire des malices
les uns aux autres. Enfin tout alla si bien que
la cadette commença à trouver que le maître
du logis n'avait plus la barbe
si bleue et que c'était
un fort honnête homme.
Dès qu'on fut de retour
à la ville, le mariage
se conclut.

Au bout d'un mois, Barbe-Bleue dit à
sa femme qu'il était obligé de faire un voyage
en province, de six semaines au moins, pour
une affaire de conséquence ; qu'il la priait de
bien se divertir pendant son absence, qu'elle fît
venir ses bonnes amies, qu'elle les menât à la
campagne si elle voulait, que partout elle fît
bonne chère. « Voilà, lui dit-il, les clefs
des deux grands garde-meubles, voilà celles

de la vaisselle d'or et d'argent qui ne sert pas
tous les jours, voilà celles de mes coffres-forts
où sont mon or et mon argent, celles des
cassettes où sont mes pierreries, et voilà
le passe-partout de tous les appartements.
Pour cette petite clef-ci, c'est la clef du cabinet
au bout de la grande galerie de l'appartement
bas. Ouvrez tout, allez partout, mais pour ce
petit cabinet, je vous défends d'y entrer, et je
vous le défends de telle sorte que, s'il vous
arrive de l'ouvrir, il n'y a rien que vous ne
deviez attendre de ma colère. »

Elle promit d'observer exactement tout
ce qui lui venait d'être ordonné. Et, après
l'avoir embrassée, il monta dans son carrosse
et partit pour son voyage.

Les voisines et les bonnes amies n'attendirent pas qu'on les envoyât quérir pour aller chez la jeune mariée, tant elles avaient d'impatience de voir toutes les richesses de sa maison, n'ayant osé y venir pendant que le mari y était à cause de sa barbe bleue qui leur faisait peur. Les voilà aussitôt à parcourir les chambres, les cabinets, les garde-robes, toutes plus belles et plus riches les unes que les autres.

Elles montèrent ensuite aux garde-meubles, où elles ne pouvaient assez admirer le nombre et la beauté des tapisseries, des lits, des sofas, des cabinets, des guéridons, des tables et des miroirs où l'on se voyait depuis les pieds jusqu'à la tête et dont les bordures, les unes de glace, les autres d'argent et de vermeil doré, étaient les plus belles et les plus magnifiques que l'on eût jamais vues.

Elles ne cessaient d'exagérer et d'envier
le bonheur de leur amie, qui, cependant,
ne se divertissait point à voir toutes ces
richesses à cause de l'impatience qu'elle avait
d'aller ouvrir le cabinet de l'appartement bas.

Elle fut si pressée de sa curiosité que, sans
considérer qu'il était malhonnête de quitter
sa compagnie, elle y descendit
par un petit escalier dérobé,
et avec tant de précipitation
qu'elle pensa se rompre le cou
deux ou trois fois.

Étant arrivée à la porte
du cabinet, elle s'y arrêta
quelque temps, songeant
à la défense que son
mari lui avait faite
et considérant
qu'il pourrait
lui arriver

malheur d'avoir été désobéissante.
Mais la tentation était si forte qu'elle ne put
la surmonter : elle prit donc la petite clef
et ouvrit en tremblant la porte du cabinet.

D'abord, elle ne vit rien parce que
les fenêtres étaient fermées. Après quelques
moments, elle commença à voir que
le plancher était tout couvert de sang caillé
et que dans ce sang se miraient les corps de
plusieurs femmes mortes et attachées le long
des murs : c'étaient toutes les femmes que
Barbe-Bleue avait épousées et qu'il avait
égorgées l'une après l'autre.

Elle pensa mourir de peur, et la clef
du cabinet, qu'elle venait de retirer de
la serrure, lui tomba de la main. Après avoir
un peu repris ses esprits, elle ramassa la clef,
referma la porte et monta à sa chambre pour
se remettre un peu. Mais elle n'en pouvait
venir à bout, tant elle était émue.

Ayant remarqué que la clef du cabinet était tachée de sang, elle l'essuya deux ou trois fois, mais le sang ne s'en allait point. Elle eut beau la laver et même la frotter avec du sablon et avec du grès, il y demeura toujours du sang, car la clef était magique, et il n'y avait pas moyen de la nettoyer tout à fait : quand on ôtait le sang d'un côté, il revenait de l'autre.

Barbe-Bleue revint de son voyage dès le soir même et dit qu'il avait reçu des lettres dans le chemin qui lui avaient appris que l'affaire pour laquelle il était parti venait d'être terminée à son avantage. Sa femme fit tout ce qu'elle put pour lui témoigner qu'elle était ravie de son prompt retour.

Le lendemain, il lui demanda les clefs, et elle les lui donna, mais d'une main si tremblante qu'il devina sans peine tout ce qui s'était passé. « D'où vient, lui dit-il, que la clef du cabinet n'est point avec les autres ?

— Il faut, dit-elle, que je l'aie laissée là-haut sur ma table.

— Ne manquez pas, dit Barbe-Bleue, de me la donner tantôt. »

Après plusieurs remises, il fallut apporter la clef. Barbe-Bleue, l'ayant considérée, dit à sa femme : « Pourquoi y a-t-il du sang sur cette clef ?

— Je n'en sais rien, répondit la pauvre femme, plus pâle que la mort.

— Vous n'en savez rien, reprit Barbe-Bleue. Je le sais bien, moi : vous avez voulu entrer dans le cabinet ! Hé bien, Madame, vous y entrerez et irez prendre votre place auprès des dames que vous y avez vues. »

Elle se jeta aux pieds de son mari en pleurant
et en lui demandant pardon, avec toutes les
marques d'un vrai repentir de n'avoir pas été
obéissante. Elle aurait attendri un rocher, belle
et affligée comme elle était ; mais Barbe-Bleue
avait le cœur plus dur qu'un
rocher. « Il faut mourir,
Madame, lui dit-il,
et tout à l'heure.

— Puisqu'il faut mourir, répondit-elle,
en le regardant les yeux baignés de larmes,
donnez-moi un peu de temps pour prier Dieu.
— Je vous donne un demi-quart d'heure,
reprit Barbe-Bleue, mais pas un moment
davantage. »
Lorsqu'elle fut seule, elle appela sa sœur et lui
dit : « Ma sœur Anne (car elle s'appelait ainsi),
monte, je te prie, sur le haut de la tour, pour
voir si mes frères ne viennent point. Ils m'ont
promis qu'ils viendraient me voir aujourd'hui,
et, si tu les vois, fais-leur signe de se hâter. »
La sœur Anne monta sur le haut de la tour et
la pauvre affligée lui criait de temps en temps :
« Anne, ma sœur Anne, ne vois-tu rien
venir ? » Et la sœur Anne lui répondait :
« Je ne vois rien que le soleil qui poudroie,
et l'herbe qui verdoie. » Cependant, Barbe-
Bleue, tenant un grand coutelas à sa main,
criait de toute sa force à sa femme :
« Descends vite, ou je monterai là-haut.

— Encore un moment, s'il vous plaît »,
lui répondait sa femme. Et aussitôt elle criait
tout bas : « Anne, ma sœur Anne, ne vois-tu
rien venir ? » Et la sœur Anne répondait :
« Je ne vois rien que le soleil qui poudroie
et l'herbe qui verdoie. » « Descends donc vite,
criait Barbe-Bleue, ou je monterai là-haut.

— Je m'en vais », répondait sa femme,
puis elle criait : « Anne, ma sœur Anne,
ne vois-tu rien venir ?

— Je vois, répondit la sœur Anne, une grosse
poussière qui vient de ce côté-ci.

— Sont-ce mes frères ?

— Hélas ! non, ma sœur, c'est un troupeau de
moutons.

— Ne veux-tu pas descendre ? criait Barbe-
Bleue.

— Encore un moment », répondait sa femme.
Et puis elle criait : « Anne, ma sœur Anne,
ne vois-tu rien venir ?

— Je vois, répondit-elle, deux cavaliers qui

viennent de ce côté-ci, mais ils sont bien
loin encore... Dieu soit loué, s'écria-t-elle
un moment après, ce sont mes frères.
Je leur fais signe tant que je puis de se hâter. »
Barbe-Bleue se mit à crier si fort que toute
la maison en trembla. La pauvre femme
descendit et alla se jeter à ses pieds toute
éplorée et toute échevelée. « Cela ne sert
de rien, dit Barbe-Bleue, il faut mourir. »

Puis, la prenant
d'une main par
les cheveux,
et de l'autre
levant le
coutelas
en l'air, il
allait lui
abattre
la tête.

La pauvre femme se tourna vers lui et,
le regardant avec des yeux mourants, le pria de
lui donner un petit moment pour se recueillir.
« Non, non, dit-il, recommande-toi bien
à Dieu ». Et levant son bras…

À ce moment, on heurta si fort à la porte
que Barbe-Bleue s'arrêta tout court. On ouvrit,
et aussitôt on vit entrer deux cavaliers
qui, mettant l'épée à la main, coururent droit
à Barbe-Bleue. Il reconnut les frères de
sa femme, l'un Dragon et l'autre Mousquetaire,
de sorte qu'il s'enfuit aussitôt pour se sauver.
Mais les deux frères le poursuivirent de si près
qu'ils l'attrapèrent avant qu'il pût gagner
le perron. Ils lui passèrent leur épée au travers
du corps, et le laissèrent mort. La pauvre
femme était presque aussi morte que son mari,
et n'eut pas la force de se lever pour embrasser
ses frères.

Il se trouva que Barbe-Bleue n'avait point d'héritiers, et qu'ainsi, sa femme demeura maîtresse de tous ses biens. Elle en employa une partie à marier sa sœur Anne avec un jeune gentilhomme dont elle était aimée depuis longtemps ; une autre partie à acheter des charges de capitaine à ses deux frères ; et le reste à se marier elle-même à un fort honnête homme, qui lui fit oublier le mauvais temps qu'elle avait passé avec Barbe-Bleue.